Naomi Danis valora, como un tesoro, a sus amigos:
los de ayer y los de ahora, los de la familia, los que
son a prueba de fuego, los de aquí y los de allá...
y los imaginarios. Vive en Nueva York, donde suele
preparar sus famosas galletas integrales con trocitos
de chocolate, que le encanta compartir.

Cinta Arribas es ilustradora y le apasiona imaginarse
historias inspiradas en los diferentes personajes que crea.
Su obra es expresiva, con mucho color y sentido del humor.
Conecta profundamente con las historias de Naomi,
que ilustra como si ella fuese la protagonista.

Publicado por primera vez en Brooklyn, Nueva York, en 2020
por Pow! con el título *My Best Friend, Sometimes*.

Texto © Naomi Danis, 2020
Ilustraciones © Cinta Arribas, 2020
Diseño: Robert Avellan

De esta edición © Editorial Flamboyant S. L., 2021
Bailén, 180, planta baja, local 2, 08037 Barcelona
www.editorialflamboyant.com

Traducción del inglés © Patricia Martín, 2021
Corrección de textos: Raúl Alonso Alemany

Primera edición: febrero de 2021
ISBN: 978-84-17749-99-6
DL: B 19656-2020
Impreso en Tallers Gràfics Soler, Barcelona

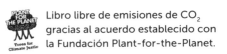

Libro libre de emisiones de CO_2
gracias al acuerdo establecido con
la Fundación Plant-for-the-Planet.

MEJORES AMIGAS
(CASI SIEMPRE)

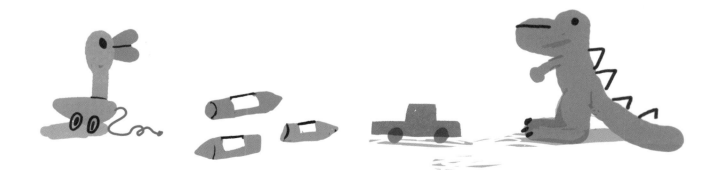

NAOMI DANIS · CINTA ARRIBAS

MEJORES AMIGAS
(CASI SIEMPRE)

Traducción de Patricia Martín

Flamboyant

UN DÍA, DURANTE LA HORA DE LA COMIDA,
ME SENTÉ AL LADO DE MARTINA.

—SI ME DAS UNA GALLETA —ME DIJO—,
SERÉ TU MEJOR AMIGA.

LE DI UNA GALLETA. TENÍA TROCITOS DE CHOCOLATE.

MARTINA Y YO. ¿QUÉ NOS GUSTA HACER?

SENTARNOS
JUNTAS.

CHARLAR.

FIJARNOS EN QUIÉN
SE HA CORTADO
EL PELO.

O EN QUIÉN LLEVA UN BOCADILLO
DE JAMÓN Y QUESO.

COMPARTIR RISITAS.
CONTARNOS COSAS
AL OÍDO.

CORRER DURANTE
EL RECREO.

JUGAR A «COMO SI...».

—HAGAMOS COMO
SI YO FUERA LA MADRE
Y TU LA HIJITA.

—HAGAMOS COMO
SI YO FUERA
DOCTORA Y TU
NECESITARAS
UNA INYECCIÓN.

—HAGAMOS COMO SI NOS CASÁRAMOS.

NOS EXPLICAMOS SECRETOS
QUE LOS DEMÁS JAMÁS SE CREERÍAN.

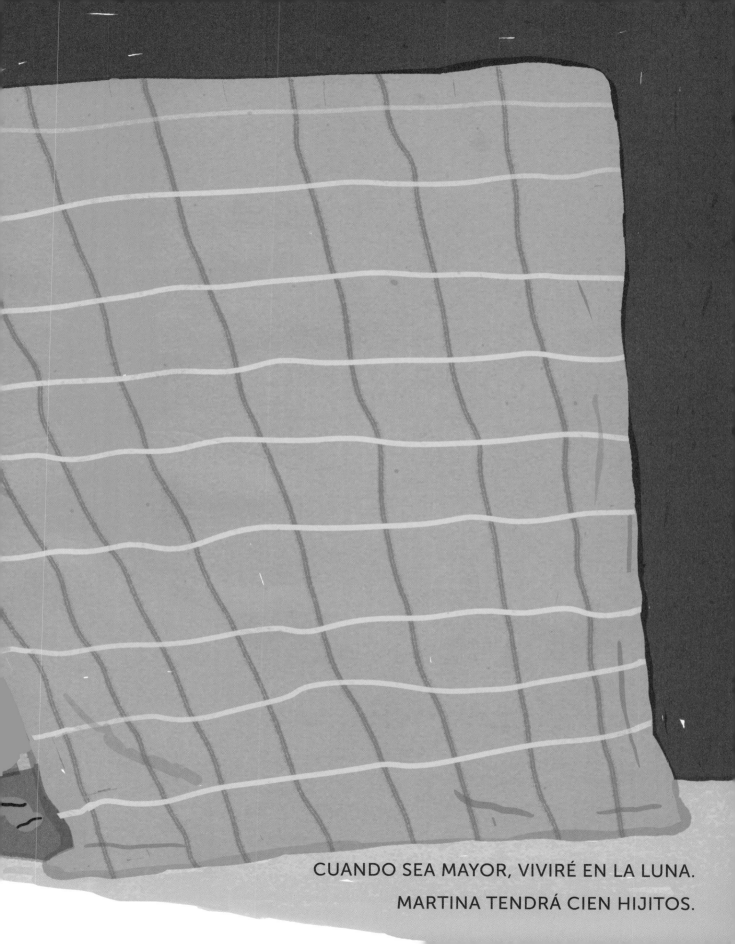

CUANDO SEA MAYOR, VIVIRÉ EN LA LUNA.

MARTINA TENDRÁ CIEN HIJITOS.

MARTINA Y YO NOS LLEVAMOS BIEN. Y MAL.
LAS DOS COSAS A LA VEZ.

LAS COSAS NO VAN SIEMPRE COMO ME GUSTARÍA.
PORQUE NO SIEMPRE NOS GUSTA LO MISMO.

CUANDO YO QUIERO CORRER POR EL PATIO,
MARTINA QUIERE CANTAR Y HACER COREOGRAFÍAS.

LLEVO UNOS ZAPATOS NUEVOS Y MARTINA NO ME DICE QUE
LE GUSTAN. MAMÁ DICE QUE TENDRÍA QUE ESTAR CONTENTA
DE QUE A MÍ ME GUSTEN MIS ZAPATOS Y A MARTINA LOS SUYOS.

NO ES IMPORTANTE QUE A MARTINA LE GUSTEN MIS ZAPATOS,
DICE MAMÁ. PERO OJALÁ LE GUSTASEN Y OJALÁ ME LO DIJESE.

O, A VECES,
MARTINA Y YO QUEREMOS
EXACTAMENTE LO MISMO
Y NO LO PODEMOS TENER
LAS DOS A LA VEZ.

MARTINA TRAE A CLASE MI CHOCOLATINA PREFERIDA
Y NO ME GUARDA NI UN PEDACITO, AUNQUE SABE QUE
ME GUSTA, PORQUE SIEMPRE LE PIDO UN POCO.

—LO SIENTO —DICE—. HOY ME APETECÍA
COMÉRMELA ENTERA YO SOLA.

BUENO, AL MENOS
SE HA DISCULPADO.

CUANDO ESTOY ENFERMA, ME QUEDO EN CASA
Y NO VOY A LA ESCUELA. ME PREOCUPA UN POCO
QUE MARTINA ENCUENTRE OTRA MEJOR AMIGA,
ALGUIEN A QUIEN DARLE UNA GALLETA
DURANTE LA COMIDA.

PERO, POR LA NOCHE,
SUENA EL TELÉFONO.

—ES MARTINA.
PARA TI —DICE MAMÁ.

—¡HOLA! —DIGO YO.
—¡HOLA! —DICE ELLA.

—HOY TE HEMOS ECHADO DE MENOS EN CLASE.
ESPERO QUE TE MEJORES PRONTO.

YA ME ENCUENTRO MEJOR, PORQUE ME HA LLAMADO.

UN DÍA, MARTINA SE ENFADA
TANTO CONMIGO, TANTO, QUE DEJA
DE HABLARME. PERO COMO SOMOS
LAS MEJORES AMIGAS, IGUALMENTE
SE SIENTA A MI LADO EN EL AUTOBÚS,
AUNQUE NO ME DIRIGE LA PALABRA
EN TODO EL CAMINO, QUE ESTÁ
LLENO DE BACHES HASTA MI CASA.

NI SIQUIERA ME ACUERDO
DE POR QUÉ ESTÁ ENFADADA.

¿ESTÁ ENFADADA PORQUE
ESTE FIN DE SEMANA ME TOCA
LLEVARME EL CONEJILLO DE
INDIAS A CASA, Y QUERRÍA
QUE LE TOCARA
A ELLA?

NO LO SÉ. NO ME LO VA A DECIR. ESTOY TRISTE. Y CONFUNDIDA.

AUNQUE PAREZCA QUE SOMOS MEJORES SIENDO ENEMIGAS,
ESPERO QUE ALGÚN DÍA VOLVAMOS A SER AMIGAS.

FINALMENTE, LLEGAMOS A MI PARADA. ME INCLINO Y LE SUSURRO:
—HASTA MAÑANA.

MIENTRAS EL BUS ARRANCA,
MIRO HACIA LA VENTANILLA DONDE ESTÁ MARTINA.
ELLA TAMBIÉN ME ESTÁ MIRANDO.

DE REPENTE, SONRÍE. YO TAMBIÉN.
ESTOY CONTENTA OTRA VEZ.

PUEDE QUE UNA SONRISA SEA
INCLUSO MEJOR QUE UNA GALLETA.

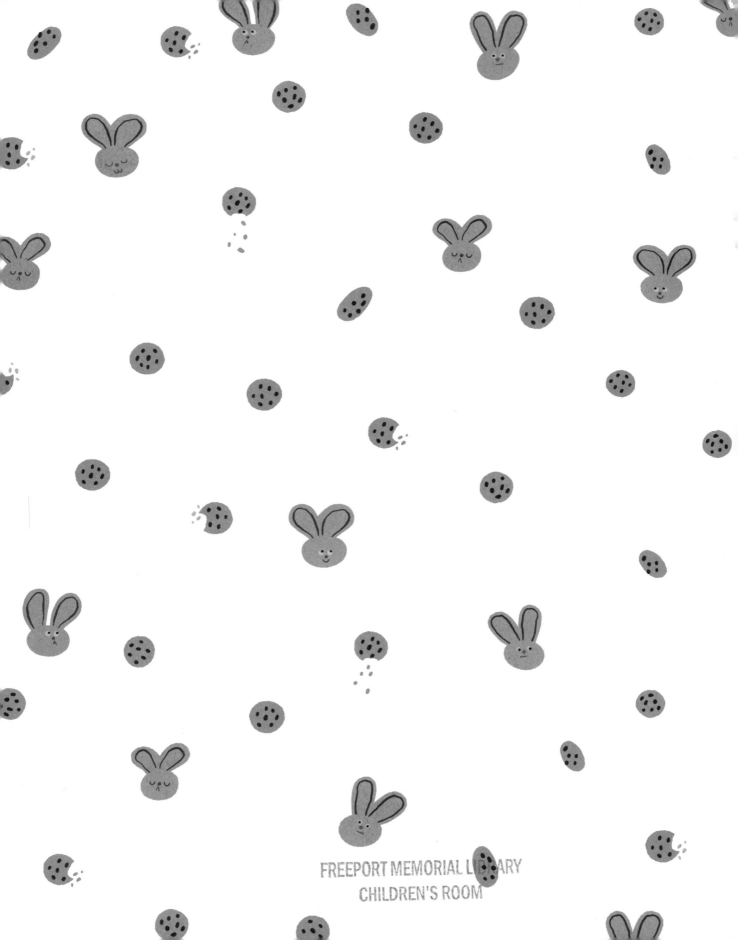